Großstadtliebe

A2/B1

Von Volker Borbein und Christian Baumgarten

Illustriert von Detlef Surrey

Großstadtliebe

Volker Borbein und Christian Baumgarten
mit Illustrationen von Detlef Surrey

Lektorat: Pierre Le Borgne, Berlin
Layout: Annika Preyhs für Buchgestaltung
Technische Umsetzung: Klein & Halm Grafikdesign, Berlin
Umschlaggestaltung: Ungermeyer, grafische Angelegenheiten

Umschlagfoto: Shutterstock/© oneinchpunch

Weitere Titel in dieser Reihe

ISBN 978-3-06-120751-9 Die Entscheidung
ISBN 978-3-06-120753-3 Das Missverständnis
ISBN 978-3-06-120754-0 Die Überraschung

www.cornelsen.de

1. Auflage, 1. Druck 2016

Druck: orthdruk, Bialystok

ISBN 978-3-06-120752-6

Inhalt gedruckt auf säurefreiem Papier aus nachhaltiger Forstwirtschaft.

Inhalt

Sie können diese spannende Geschichte auch über einen MP3-Player zu Hause, bei einer Auto-, Zug- oder Busfahrt anhören und genießen.

Personen

Familie Schall lädt Sie ein, an ihrem Familienleben teilzunehmen. Lassen Sie sich überraschen. Alles kommt anders als geplant.

Die Hauptpersonen der Geschichte sind:

Thomas Schall
53 Jahre, Ingenieur. Er ist auf seinen Sohn Sebastian stolz. Um seine Tochter Amelie macht er sich große Sorgen.

Sarah Schall
51 Jahre, Lehrerin an einer Berufsschule. Sie versteht ihre Tochter nicht mehr.

Sebastian
23 Jahre, noch Student. Er ist mit sich und der Welt zufrieden. Eine unerwartete Begegnung stellt sein Leben auf den Kopf.

Amelie

16 Jahre, Schülerin.
Sie kommt mit ihren Eltern
nicht mehr zurecht.
Auch in der Schule
hat sie Probleme.

Einstein

Der Kater stand eines Tages
vor der Terrassentür.
Seitdem gehört er zur Familie.

Maria

23 Jahre, Studentin.
Sie ist die Freundin von Sebastian.
Sie erlebt eine große Enttäuschung.

Ort der Handlung: Berlin

Kapitel 1 | Zwischenfall

„Das Essen ist fertig. Kommst du bitte, Amelie! Wir warten auf dich", ruft die Mutter. Familie Schall sitzt seit mehreren Minuten am gedeckten Tisch auf der Terrasse im Garten ihres Einfamilienhauses in Berlin-Tempelhof. Vater, Mutter 5 und Sohn warten ungeduldig auf Amelie. Ohne ein Wort zu sagen, setzt sich Amelie an den Tisch.

„Schön, dass wir endlich wieder einmal alle zusammen sind und gemeinsam essen", sagt der Vater und schaut Amelie an. „Meinst du nicht auch?" Amelie schweigt. Sie blickt 10 gelangweilt auf ihren Teller.

„Das Essen riecht heute besonders gut", sagt Sebastian.

„Hoffentlich schmeckt es euch. Ich habe ein neues Fischrezept ausprobiert." Der Vater legt den gebratenen Fisch auf die Teller und sieht seine Familie erwartungsvoll an.

15 „Und?"

„Ausgezeichnet!"

Sarah berührt leicht die Hand ihres Mannes. Auch Sebastian genießt[1] das Essen. Er guckt auf den Teller seiner Schwester. Sie hat den Fisch nicht angerührt. „Gibst du mir deinen 20 Fisch?" Ohne ein Wort zu sagen, gibt Amelie ihrem Bruder den vollen Teller. Der Bruder fängt sofort an, ihre Portion zu essen.

„Was soll das, Amelie?", fragt der Vater verärgert.

1 Freude an etwas haben

„Schmeckt dir mein Essen nicht? Was hast du daran zu kritisieren? Du hast noch gar nicht probiert. Probier doch erst einmal!"
„Bekomme ich keine Antwort?", fragt ihr Vater. Alle blicken auf Amelie und warten auf eine Erklärung. Sie steht langsam auf. Sie sieht ihre Familie der Reihe nach an und sagt laut und deutlich:

„Ab heute esse ich keinen Fisch mehr. Und kein Fleisch. Auch Tiere haben Gefühle!"
Sie verlässt die Terrasse und geht in ihr Zimmer.
Einstein erhebt sich von seinem sonnigen Platz, streckt[2] sich und folgt Amelie.

„Was hat das denn schon wieder zu bedeuten? Muss ich mir um unsere Tochter Sorgen machen?" Er sieht seine Frau an.

„Nein. Amelie ist Vegetarierin." Sarah Schall schaut auf ihre Uhr. „Genau ab heute, Sonntag, 13.30 Uhr."

„Fragt sich nur, ob sie am nächsten Sonntag noch genau so denkt", sagt Sebastian lachend. „Der Fisch hat mir sehr gut geschmeckt, besonders die doppelte Portion."

2 *hier:* langsam und bequem aufstehen

Kapitel 2 | Spielregeln

Frau Schall räumt den Tisch ab. Sebastian hilft ihr. Der Vater holt den Nachtisch aus der Küche.

„Möchtet ihr zum Obstsalat Schlagsahne?"

„Natürlich. Obstsalat ohne Schlagsahne schmeckt nicht", sagt Sebastian. Die Mutter lacht.

„Einmal im Monat schadet nicht."

„Sag mal, Sarah, verstehst du das Verhalten deiner Tochter?"

„Typisch Mann. Du meinst unsere Tochter. Nein, du musst dir keine Sorgen machen. Mädchen in diesem Alter sind oft so. Sie sind auf der Suche nach sich selbst. Amelie ist da keine Ausnahme. Wir müssen mit ihr Geduld haben."

Frau Schall macht eine kleine Pause. „Ich weiß. Das ist nicht immer einfach, aber es bleibt uns nichts anderes übrig."

„Trotzdem. Ich finde es nicht in Ordnung, wie sie sich benimmt[3]. Es gibt Spielregeln, an die sie sich halten muss." Thomas Schall spricht lauter als sonst. „Sie kann nicht einfach aufstehen und den Tisch verlassen. Das gehört sich nicht. Und ihre Kleidung! Die passt nicht zu ihr."

„Vater, reg dich nicht auf. Das geht alles vorbei. So. Ich setze mich jetzt auf mein Fahrrad. Zum Kaffee bin ich zurück. Ihr macht doch sicherlich einen Spaziergang?"

„Natürlich, wie immer am Sonntag."

Amelie liegt in ihrem Zimmer auf dem Bett und telefoniert mit ihrer besten Freundin. Einstein hat es sich auf einem Kissen bequem gemacht. Aus halb geöffneten Augen beobachtet er Amelie.

„Es gab Fisch heute Mittag. Ich habe mich geweigert ihn zu essen. Ab heute esse ich keinen Fisch und kein Fleisch mehr. Das habe ich meinen Eltern gesagt. Wie sie reagiert haben? Na ja. Zu meiner großen Überraschung sind sie ruhig geblieben. Aber vielleicht kommt das Theater noch, wenn meine Eltern vom Spaziergang zurückkommen. Keine Sorge, ich bleibe hart, versprochen. Übrigens, ich habe einen Job für ein paar Stunden in der Woche in einem Supermarkt gefunden. Ich weiß aber noch nicht, wie ich das meinen Eltern beibringe. Soll ich zuerst mit meinem Vater darüber sprechen? Was meinst du? Auf jeden Fall muss ich mein Taschengeld aufbessern. 40 Euro sind nicht genug. Eine Erhöhung gibt es vorläufig nicht."

3 sich gut/schlecht verhalten

Amelie trinkt ein Glas Wasser. „Aber weshalb ich eigentlich anrufe: Hast du die Matheaufgaben[4] schon gemacht? Ich blicke überhaupt nicht mehr durch. Du, der Mathelehrer[5] mag mich nicht. Das lässt er mich deutlich fühlen. Er kann mich nicht leiden. Er stellt mir immer Fragen, wenn er sieht, dass ich nichts weiß. Er will, dass ich eine schlechte Note bekomme. Ich habe keine Lust mehr, in die Schule zu gehen. Am liebsten würde ich zu Hause bleiben. Wegen Mathe wäre ich dieses Schuljahr fast sitzen geblieben. Ich weiß nicht, wie das weitergehen soll. Ich habe richtig Angst vor dem nächsten Unterricht. Kann ich heute noch bei dir vorbeischauen? Ich muss einiges mit dir besprechen. Ich lege jetzt auf. Meine Eltern kommen gerade zurück. Bis nachher. Tschüss."

4 Mathematikaufgaben
5 Mathematiklehrer

Kapitel 3 | Hoffnungen

Sebastian steigt vom Fahrrad. Er ist außer Atem, aber zufrieden. Sport tut ihm gut. Er braucht die Bewegung. Jeden Tag. Er kann sich ein Leben ohne Sport nicht vorstellen. Er duscht kalt.

Pünktlich um 16 Uhr sitzt die Familie ohne Amelie am Kaffeetisch. Sie hat einen Zettel neben das Telefon im Flur gelegt. „Bin bei einer Freundin. Bin gegen 21 Uhr zurück." Die Mutter hat Pflaumenkuchen gebacken. Dazu gibt es frisch geschlagene Schlagsahne. Zum zweiten Mal an diesem Tag. Die Mutter isst keine.

„Was hat deine Bewerbung bei der Zeitung ergeben?“, möchte Sebastians Vater wissen.

„In den nächsten drei bis vier Wochen erhalte ich Bescheid.“

5 „Und? Wie stehen deine Chancen, bald als Journalist zu arbeiten? Konntest du durch dein Studium Pluspunkte sammeln?“

„Ich glaube schon. Wir waren vierzig Kandidaten bei den verschiedenen Prüfungen, Gesprächsrunden, Vieraugenge-
10 sprächen, Psychotests und so. Heute wird von einem Journalisten viel mehr verlangt als nur Texte auf dem Computer schreiben.

„Wie meinst du das?“, fragt der Vater und schaut den Sohn interessiert an.

15 „Meine Kenntnisse und Erfahrungen im Onlinejournalismus haben mir geholfen. Außerdem muss ich immer erreichbar sein. Feste Arbeitszeiten gibt es nicht. Mein Arbeitsplatz ist da, wo ich mich gerade befinde, also überall. Man muss alles können und trotzdem Spezialwissen haben, so wie ich.
20 Ich habe nicht umsonst drei Jahre neben Wirtschaftsinformatik noch Journalismus studiert.“

„Du schaffst das! Wenn jemand für das Schreiben begabt[6] ist, dann du. Und du bist diszipliniert. Und vor allem: Du bist unser Sohn. Wir glauben an dich.“

25 Die Mutter schenkt Kaffee nach. Ein Stück Pflaumenkuchen ist übriggeblieben.

„Sebastian, nimmst du das letzte Stück?“

6 etwas besonders gut können

„Gerne. Demnächst rieche ich nur noch nach Wurst und Pommes frites. Ab Mitte nächster Woche arbeite ich als Verkäufer in einem Imbissstand[7] auf dem Winterfeldtplatz[8]."
Der Kuchen ist aufgegessen, der Kaffee fast ausgetrunken. Eine Tasse ist übrig geblieben.
In drei Stunden gibt es Abendbrot. Amelie hat eine SMS geschickt. Sie kommt erst um 22 Uhr zurück. Die Eltern sind nicht sehr erfreut.
Es klingelt. Sebastians Freundin Maria steht vor der Tür.

7 Verkaufsstand, an dem einfache und schnell zubereitete Speisen verkauft werden
8 *http://wikipedia.org/wiki/Winterfeldtplatz*

Kapitel 4 | Erwartungen

Als Sebastian die Stimme seiner Freundin hört, läuft er zur Tür. Er nimmt seine Freundin in die Arme. Er küsst sie wie immer zuerst auf die Stirn[9], dann auf die Augen und zuletzt auf den Mund. Ein Ritual.

5 „Toll, dass du noch gekommen bist. Komm rein. Setz dich zu uns auf die Terrasse. Wir haben gerade Kaffee getrunken. Möchtest du eine Tasse?"

9 oberer Teil des Gesichts zwischen Augen und Haar

„Lieber ein Glas Wasser."

„Geh schon einmal vor. Du kennst den Weg. Ich hole das Wasser."

„Wir freuen uns, dich zu sehen", sagt der Vater bei der Umarmung.

„Du warst einige Tage nicht bei uns. Warst du krank oder gibt es einen anderen Grund?", fragt Frau Schall besorgt.

„Nein, nein", lächelt Maria verlegen. „Ich habe zurzeit viel für meine schriftliche Examensarbeit zu tun."

„Worum geht es in deiner Abschlussarbeit?", fragt Thomas Schall.

„In meinen Untersuchungen geht es um die Beantwortung der Frage: Was denken, wünschen, hoffen und fürchten[10] Jugendliche? Wie sieht die junge Generation ihre Zukunft?"

„Ich wünsche mir ganz einfach einen gut bezahlten festen Job", sagt Sebastian lachend, „und eine Familie."

„Na ja", sagt der Vater. „Das haben wir uns früher auch gewünscht. Und was fürchten junge Leute heutzutage?"

„Armut, Arbeitsplatzverlust, Terroranschläge und Umweltverschmutzung[11]. Übrigens: Bei weiblichen Jugendlichen spielt eine saubere Umwelt eine größere Rolle als bei männlichen Jugendlichen. Warum wohl?" Maria sieht ihren Freund und die Eltern nachdenklich an. „Wenn meine Abschlussarbeit fertig ist, dann gebe ich sie euch. Einverstanden?"

10 Angst vor etwas haben
11 *Gegenteil:* saubere Umwelt

„Prima. Wir lassen euch jetzt allein. Ihr habt bestimmt einiges zu besprechen. Ich gucke mir die Sportschau[12] an. Es gibt eine Sondersendung über die Leichtathletik-Europameisterschaften", sagt Thomas Schall und geht ins Haus.

5 „Bis nachher."

„Du, Sebastian, gestern habe ich einen kleinen Schock bekommen."

„Warum das, Maria?"

„Ich traf Claudia aus der Parallelklasse. Du erinnerst dich 10 doch an sie und an ihren Freund. In der Schule waren sie ein unzertrennliches Paar. Letzte Woche hat sie sich von ihrem Freund getrennt. Und weißt du, was sie gesagt hat?"

„Nein."

„Schulfreundschaften halten nicht lange!" Maria hat 15 Tränen[13] in den Augen.

„Möchtest du noch ein Glas Wasser?" Sebastian steht auf und geht in die Küche. Maria bleibt allein auf der Terrasse.

12 Sportsendung im deutschen Fernsehen: *www.sportschau.de*
13 salzige Flüssigkeit, die aus den Augen kommt, wenn man weint

Kapitel 5 | Geheimnisse

Am frühen Morgen treffen sich Mutter und Tochter beim Frühstück in der Küche. Thomas Schall hat das Haus schon verlassen, Sebastian kann ausschlafen.
„Guten Morgen, Amelie. Hast du gut geschlafen?"
„Ja. Nur zu kurz."
„Du bist gestern spät nach Hause gekommen. Wir möchten nicht, dass du allein nach 22 Uhr mit der U-Bahn[14] fährst."
„Es ist Sommer. Abends ist es noch hell. Aber das kommt nicht wieder vor. Versprochen."
„Was habt ihr gemacht?"
„Matheaufgaben. Und das am heiligen Sonntag!"
„Das hört sich doch ganz gut an." Die Mutter sieht ihre Tochter trotzdem mit ernster Miene[15] an. „Amelie, verstehe mich und deinen Vater bitte nicht falsch. Wir wollen dich

14 Untergrundbahn: *www.bvg.de*
15 Gesichtsausdruck

nicht kontrollieren. Wir möchten nur wissen, wo und mit wem du zusammen bist. Wir sind deine Eltern. Wir sind für dich verantwortlich. Du hast dich in den vergangenen Wochen und Monaten sehr verändert."

5 „Verstehe ich nicht. Ich bin wie immer."

„Dein Aussehen hat sich stark verändert. Du sprichst nicht mehr so oft wie früher mit uns. Wir wissen nicht mehr, was dich beschäftigt und was in dir vorgeht." Sarah Schall sieht ihre Tochter nachdenklich an. „Hast du keine Lust mehr, in 10 die Schule zu gehen? Hast du Ärger mit Lehrern? Sag mir die Gründe, damit ich dir helfen kann. Nur mit Glück bist du in die nächste Klasse versetzt[16] worden. Nimm dir ein Beispiel an deinem Bruder. Er ist ordentlich, zuverlässig, diszipliniert und fleißig und hat es schon weit gebracht."

15 Amelie schüttelt den Kopf.

„Das ist mir echt zu viel. Ich bin nicht Sebastian. Immer vergleicht ihr mich mit ihm. Das ist nicht fair. Ich bin anders als er. Akzeptiert das endlich."

Amelie hält in der Hand eine Tasse Tee. Sie hat noch nicht 20 getrunken. Sie stellt die volle Tasse auf den Küchentisch zurück. „Was habt ihr eigentlich gegen mich? Alles mache ich falsch. Nichts kann ich euch recht machen. Ihr interessiert euch nur für euren Sohn. Ich bin euch gleichgültig[17]. Ich kann ja auch ausziehen und bei meiner Freundin wohnen."

16 *hier:* in die nächste Klasse kommen
17 ohne Bedeutung, unwichtig

Die Stimme von Amelie klingt traurig. Amelie fühlt sich verletzt. Am liebsten würde Sarah ihre Tochter jetzt in die Arme nehmen. Sie kann es nicht.

„Kind, so war das doch nicht gemeint. Du weißt, wir wollen nur dein Bestes." 5

Sarah Schall, Mutter und Lehrerin, weiß, dass sie ihrer Tochter gegenüber nicht richtig reagiert hat. Leise sagt Amelie:

„Übrigens: Jeder Mensch ...", Amelie macht eine kleine Pause. „Jeder Mensch hat seine Geheimnisse, auch euer toller Sohn Sebastian." 10

„Geheimnisse? Vor uns? Was willst du damit sagen?"

„Ist dir nicht aufgefallen, dass er sich in letzter Zeit merkwürdig[18] zu Maria verhält? Mehr sage ich nicht. Ich muss zur U-Bahn."

Frau Schall möchte jetzt wissen, was mit ihrem Sohn los ist. 15

„Ich kann dich doch bis zur U-Bahnstation mitnehmen."

Diesen Vorschlag hört Amelie nicht mehr. Sie ist schon draußen. Das Frühstück steht unberührt auf dem Küchentisch. Frau Schall bleibt ratlos in der Küche zurück.

18 ungewöhnlich

Kapitel 6 | Verabredung

„Möchtest du noch einen Kaffee?"

„Gerne."

Maria hält Sebastian die Tasse hin. Beide sind an diesem Montagmorgen spät aufgestanden.

5 „Es tut so gut, zusammen aufzuwachen", sagt Maria und gibt ihrem Freund einen schnellen Kuss auf den Mund. Sebastian sieht seine Freundin überrascht an.

„Was ist los mit dir? Du bist heute Morgen besonders gut gelaunt. Habe ich irgendetwas verpasst?"

„Nein. Ich freue mich ganz einfach. Wir sind zusammen und bald, sehr bald können wir jeden Tag gemeinsam beginnen. Das wird toll. Endlich eine gemeinsame Wohnung. Versteh mich bitte nicht falsch. Ich fühle mich wohl im Haus deiner Eltern. Aber eine eigene Wohnung bedeutet auch ein eigenes Leben. Nur wir beide."
Maria steht auf und nimmt Sebastian in ihre Arme. Sie flüstert ihm ein paar Worte ins Ohr: „Schatz, morgen Abend unterschreiben wir den Mietvertrag für unsere gemeinsame Wohnung. Auf solch eine Wohnung haben wir lange gewartet. Sie ist preiswert und liegt für uns beide zentral."
Sebastian bleibt merkwürdig ruhig. „Freust du dich denn gar nicht?"
Maria hat eine andere, ganz andere Reaktion ihres Freundes erwartet. Mehrere Monate suchten sie eine gemeinsame Wohnung. Sie hatten Glück. Eine Studienfreundin geht ins Ausland. Maria und Sebastian können für diese Zeit die Zweizimmerwohnung übernehmen.

„Aber doch Liebling, natürlich freue ich mich. Wie kannst du nur was anderes denken?"
Maria ist glücklich. „Endlich nur wir beide. In ein paar Wochen verdienst du Geld, ich habe eine feste Stelle in Aussicht[19]. Unsere Eltern warten auf Enkel. Na ja, nicht dieses Jahr, aber irgendwann schon." Maria ist aufgeregt.

„Weißt du, Maria, zurzeit kommt so viel zusammen. Ich muss mich an den Gedanken an ein Leben zu zweit noch gewöhnen. Ich liebe dich, das weißt du."

19 Erwartungen / Hoffnung auf etwas haben

Sebastian schaut auf seine Uhr. „So. In einer Stunde habe ich einen Termin beim Gesundheitsamt[20]. Ich brauche eine Bescheinigung für meinen Job im Imbissstand. Und morgen erledigen wir das mit dem Mietvertrag. Lass uns heute
5 Abend weiter sprechen."
Maria ist erleichtert. Sie verlässt als erste das Haus. Nach wenigen Metern dreht sie sich um und winkt Sebastian zu. Er winkt zurück. Dabei geht ihm ein Satz nicht aus dem Kopf: ‚Schulfreundschaften halten nicht lange.'

20 Behörde, die die Aufsicht über die Einhaltung hygienischer Vorschriften führt

Kapitel 7 | Tränen

„Amelie, es ist Zeit. Wir müssen uns beeilen. Ich fahre dich zur Schule. Die Mathematikarbeit beginnt Punkt acht Uhr."

„Ja, Vater, ich komme sofort."

Vor dem Aussteigen macht der Vater seiner Tochter Mut. Amelie hat schlecht geschlafen. Sie hat Angst vor der Mathematikklausur[21]. Ihre beste Freundin sitzt am Tisch neben ihr. Gott sei Dank. Der Mathematiklehrer Baum, genannt Baumi, betritt den Klassenraum.

„Ich teile Ihnen die Aufgaben und das Papier für die Klausur aus. Zur Arbeit beantworte ich keine Fragen. Die Zeit läuft ab jetzt."

21 schriftliche Mathematikprüfung

Amelie liest die Aufgaben. Sie versteht die Aufgaben nicht. Die Uhr läuft. Amelie wird nervös. Sie schwitzt. Ihr Blatt bleibt leer. Kritisch sieht der Mathelehrer zu ihr und schüttelt den Kopf.

5 „Oh Gott, jetzt merkt Baumi, dass ich nichts weiß", denkt Amelie. Der Mathelehrer ändert die Richtung und geht in die letzte Reihe. „Jetzt oder nie. Mir bleibt keine andere Wahl." Ihre beste Freundin hat die gelösten Aufgaben an den Tischrand gelegt. Amelie schreibt die Lösungen ab.
10 „Geschafft!" Amelie hat ein schlechtes Gewissen[22]. Sie fühlt sich trotzdem erleichtert. Plötzlich steht der Mathelehrer neben ihr.

„Das war es wohl für Sie, Amelie. Ich beobachte Sie schon die ganze Zeit. Ich habe Sie gewarnt. Bitte verlassen Sie den
15 Raum. Ich rede mit Ihren Eltern." Amelie steht auf. Sie nimmt ihre Tasche. Sie geht zum Ausgang. Manche Schüler grinsen[23]. Andere drücken durch Blicke ihr Mitleid aus.
Es ist 9.20 Uhr.

„Was machst du denn schon so früh zuhause? Schreibt
20 ihr nicht heute Mathe?" Sebastian wundert sich.

„Ja, schon. Baumi hat mich beim Abschreiben erwischt[24]. Er will mit den Eltern reden." Amelie fängt an zu weinen. Sebastian nimmt seine kleine Schwester in den Arm.

22 Gefühl, das einem sagt, dass man falsch gehandelt hat
23 *hier:* mit boshafter Freude über das Missgeschick anderer lächeln
24 überrascht, ertappt

„Der Baum hat schon damals, als ich bei ihm Mathe hatte, jeden beim Abschreiben erwischt. Sei nicht traurig. Ich rede mit Vater. Hier, trink erst einmal einen Kaffee."

„Gestern habe ich die Aufgaben noch gekonnt. Baumi mag mich nicht. Er macht mich nervös." Amelie trinkt einen Schluck Kaffee. „Ich habe Angst, die Eltern zu enttäuschen. Ich bin nicht so gut in der Schule, wie du es gewesen bist."

„Amelie, darauf kommt es doch gar nicht an. Die Eltern lieben dich auch, wenn du kein Mathe kannst."

Die Worte ihres Bruders tun Amelie gut.

„Sag mal, Sebastian, wie ist das mit dir und Maria? Hast du dich mit ihr wieder vertragen[25]? Mutter hat erzählt, du hast einen Mietvertrag unterschrieben. Ziehst du wirklich aus?"

Sebastian sieht seine Schwester an.

„Wieso? Wir hatten doch keinen Streit."

„Na ja, du bist in letzter Zeit immer so anders zu Maria. Du bist nicht mehr so nett zu ihr wie früher."

„Amelie, du siehst Gespenster[26]! Eigentlich ist alles in Ordnung."

„Eigentlich, was meinst du mit eigentlich?"

„Ich muss jetzt los, wir reden später."

Amelie schaut ihren Bruder an. Sie hat verstanden.

25 ein gutes Verhältnis haben
26 du siehst Dinge, die nicht existieren

Kapitel 8 | Herzklopfen

„Eine Curry[27] mit Pommes."

„Zwei Bratwürste, eine mit Pommes und Mayo[28], die andere ohne alles."

„Eine Cola!"

„Drei Curry mit Pommes zum Mitnehmen."

Sebastian hat kaum Zeit, den Kunden ins Gesicht zu sehen. Alles muss schnell gehen. Viele Kunden nutzen das schöne Wetter zu einem kurzen Spaziergang in der Mittagspause und gehen zum Imbiss. Es ist besonders heiß an diesem

27 Currywurst *www.currywurstmuseum.com*
28 Mayonnaise

sommerlichen Tag. Sebastian hat ein rotes Gesicht. Der Grill[29], die Dämpfe[30] und der enge Raum machen ihm mehr zu schaffen als er dachte. So anstrengend hatte er sich die Arbeit in einem Imbiss nicht vorgestellt.

„Du schaffst das schon", sagt eine Verkäuferin und klopft[31] ihm beruhigend auf die Schulter. „In einer Stunde wird es etwas ruhiger."

Sebastian trinkt ein Glas Wasser. Jetzt ist Zeit, Gespräche mit seinen neuen Kolleginnen zu führen. Außer ihm arbeiten noch drei ältere Frauen im Imbiss. Sebastian hört ihnen aufmerksam zu. Sie geben ihm für seine Arbeit Ratschläge. Sebastian blickt um sich. Auf dem Winterfeldtplatz herrscht reger Betrieb. Es ist Markttag. Sein Blick fällt auf eine junge schlanke Frau mit langen blonden Haaren. Sie trägt ein schickes sommerliches Kostüm[32] und sportliche Schuhe. Sie geht auf den Imbiss zu.

„Eine Bratwurst mit Pommes und Mayo." Wie von Weitem hört Sebastian die Bestellung des Kunden. Sebastian hat nur Augen für die junge Frau. Sein Herz klopft. Er kann sich selbst nicht erklären, was in ihm vorgeht. Plötzlich steht sie vor ihm. Sie lächelt Sebastian mit ihren grünen Augen an und geht weiter. Sebastian schaut ihr hinterher. Er will ihr etwas zurufen. Er findet nicht die richtigen Worte.

29 Gerät zum Braten von Fleisch, Würstchen, Fisch etc.
30 *hier:* riechende, heiße, feuchte Luft, die beim Braten oder Kochen entsteht
31 jemandem leicht auf die Schulter schlagen, um ihm Mut zu machen
32 Damenbekleidung aus Rock und Jacke

„Eine Bratwurst mit Pommes und Mayo“, sagt der Kunde nun lauter. Sebastian reagiert noch immer nicht. Seine Kollegin stößt ihn an.

„Ist dir nicht gut?“

5 „Doch, doch“, stammelt[33] Sebastian und macht die Bratwurst mit Pommes und Mayo für den Kunden fertig. Seine Gedanken sind woanders.

Um 19 Uhr ist für Sebastian der erste Arbeitstag im Imbiss beendet. Auf dem Nachhauseweg hat er nur einen Gedanken:
10 die schöne Unbekannte. „Warum hat sie mich so angesehen und gelacht? Warum nur? Kenne ich sie von früher? Wer ist sie? Werde ich sie wiedersehen?“ Voller Ungeduld wartet er auf den kommenden Tag. Wird er sein Glückstag werden? Der Klingelton des Handys[34] beendet seine Träumereien.
15 Maria hat eine SMS geschickt. „Bringe bitte neuen Möbelkatalog mit.“ Die Wirklichkeit hat Sebastian wieder eingeholt.

33 mit Unterbrechungen und undeutlich sprechen
34 Mobiltelefon

Kapitel 9 | Verzweiflung[35]

Sebastian hat alle Hände voll zu tun. Er ist froh darüber. So vergeht die Zeit. Gegen 15 Uhr wird es ruhiger. Sebastian sieht immer öfter auf seine Uhr. Seine Kollegin wundert sich. „Erwartest du jemand?“

„Vielleicht, wer weiß“, antwortet Sebastian geheimnisvoll. 5

„Ah, die schöne Frau von gestern, der du hinterhergeschaut hast. Uns entgeht nichts.“ Die Kolleginnen lachen.
Er bückt sich, um einen Kugelschreiber aufzuheben. Und da steht sie plötzlich vor ihm, die schöne Unbekannte.

35 ohne Hoffnung

„Ich habe gehofft, dich wiederzusehen. Du hast mir gestern so lieb zugelächelt.“ Sebastian strahlt[36] über das ganze Gesicht. Er streckt ihr seine rechte Hand entgegen. „Sebastian. Ich arbeite hier für einige Tage.“

„Antje. Ich heiße Antje.“ Sebastian sieht in fröhliche grüne Augen. Er merkt erst jetzt, dass er noch immer die Hand von Antje festhält. Und er merkt, dass Antje ihn gerne berührt. Ein Gefühl steigt in ihm hoch, das er so noch nicht kannte. Er fühlt sein Blut. Er spürt seinen ganzen Körper. Sein Herz klopft wie wild. Es tut fast weh. Es ist aber keine Unruhe in ihm. Im Gegenteil. Er ist die Ruhe selbst. „Was geschieht gerade mit dir?“, fragt er sich still. Und eigentlich überrascht ihn seine Antwort nicht: „Du bist verliebt. Nein, es ist viel mehr. Du hast die Frau deines Lebens gefunden.“
Sebastian hat alles um sich herum vergessen: die Straße, den Imbissstand, den Rauch[37] des Grills, den Geruch, seine Kolleginnen und die Kunden.

„Treffen wir uns?“, fragt Sebastian leise. „Hier können wir schlecht reden.“

„Ja. Gerne“, antwortet Antje. „Ruf mich an. Ich gebe dir meine Handynummer. Hast du einen Zettel?“ Sebastian findet keinen.

„Hier. Nimm die Pappschale[38].“
Antje notiert ihre Nummer und gibt die Pappschale zurück.

„Bis bald Sebastian. Ich freue mich schon. Tschüss!“

36 ein fröhliches Gesicht machen
37 *hier:* Dampf
38 Schachtel aus stabilem Papier

Langsam geht sie weg. Zweimal dreht sie sich um und winkt Sebastian zu. Sebastian fühlt sich wie im siebten Himmel.

„Eine Currywurst mit Brötchen", sagt ein ungeduldiger Kunde zum dritten Mal.

„Entschuldigung. Was möchten Sie?" 5

„Eine Currywurst mit Brötchen", sagt der Kunde genervt.

„Kommt sofort."

Wie automatisch zerkleinert Sebastian eine Bratwurst, legt sie in eine Pappschale und gibt aus einem Eimer[39] Currysauce dazu. Das Ganze stellt er mit einem Brötchen und 10 einer Papierserviette auf den Tresen[40]. Die Plastikgabel legt er daneben. Eine Kollegin kassiert: 3,50 Euro.

„Guten Appetit, der Herr."

Der Kunde schaut auf die Pappschale und schüttelt den Kopf. „Frechheit!" Sebastian wundert sich. 15

Endlich ist Feierabend. Ein aufregender Tag geht zu Ende. Tausend Gedanken gehen Sebastian durch den Kopf. Alle haben einen Namen: Antje. Als Sebastian die Pappschale mit der Handynummer einstecken will, findet er sie nicht. Er sucht überall, im Imbissstand, in den Abfalleimern. Er dreht 20 jede Pappschale einzeln um. Die Handynummer findet er nicht. Sebastian ist verzweifelt.

39 großer Topf, großes Gefäß
40 Verkaufstisch

Kapitel 10 | Veränderungen

„Es ist schön, dass wir heute Nachmittag gemeinsam Kaffee trinken", sagt Frau Schall zu ihrem Mann. Die Tür geht auf. Amelie kommt herein. Sie zieht ihre Jacke aus.

„Hallo, Amelie, wie war es in der Schule? Wann sollen wir
5 zu deinem Mathelehrer Baum kommen? Wäre es nicht besser, wenn du Nachhilfe in Mathematik nimmst?", fragt der Vater besorgt. „Und das mit dem Abschreiben! Amelie das geht nicht. Du wirst dich bei dem Mathematiklehrer entschuldigen. Hast du verstanden, Amelie?", fragt der Vater
10 energisch.

Amelie schweigt. Erst jetzt merkt der Vater, dass mit seiner Tochter etwas nicht in Ordnung ist. „Amelie, was ist los mit dir, du bist ja ganz aufgeregt." Die Mutter nimmt die Tochter in die Arme.

„Es ist etwas Furchtbares passiert. Unser Mathelehrer Baumi ist zuhause umgefallen, während er Mathematikarbeiten korrigiert hat. Er ist einfach umgefallen. Er kann nicht mehr sprechen. Jetzt liegt er im Krankenhaus."

„Das ist ja furchtbar", sagt die Mutter. „Und? Wie geht es jetzt weiter?"

„Wir haben einen neuen Mathematiklehrer bekommen. Ihr kennt ihn."

„Wer soll das sein?", fragt der Vater neugierig.

„Der Sohn von dem Metzger[41] Jakob. Dort holst du immer das Fleisch für den Sonntagsbraten. Martin heißt er. Der ist vielleicht süß. Er sieht klasse aus und erklärt toll. Ich verstehe alles. Na ja, fast alles. Ich mache gleich meine Hausaufgaben." Sie nimmt ihre Tasche und verschwindet in ihrem Zimmer. Die Eltern schauen sich an. „Und morgen isst unsere Tochter wieder Fleisch", sagt die Mutter.

„Jeden Tag etwas Neues. Was macht eigentlich Sebastian? Ich habe ihn mehrere Tage weder gesehen noch gesprochen. Wie geht es ihm?"

„Er hat bald einen neuen Job und richtet mit Maria die neue Wohnung ein. Aber irgendwie ist er anders als sonst."

„Was soll schon mit ihm sein? Glaub mir, er macht etwas aus seinem Leben. So. Und jetzt würde ich gerne eine Tasse Kaffee trinken. Ich muss nämlich später noch einmal ins Büro."

41 Fleischer

Kapitel 11 | Suche

Sebastian lebt in der Hoffnung auf ein Wiedersehen mit Antje. Während seiner zweiwöchigen Arbeit im Imbissstand setzt Sebastian Himmel und Hölle in Bewegung[42], um die Adresse von Antje zu erfahren. Ohne Erfolg. Niemand kennt sie. Antje bleibt wie vom Erdboden verschwunden. Sebastian Schall leidet.

Bald hat Sebastian keine Zeit mehr, Nachforschungen über ‚seine' schöne Bekannte anzustellen. Der neue Job bei der Zeitung verlangt seine volle Konzentration. Er fährt mit dem Fahrrad zur Arbeit, um körperlich in Form zu bleiben. Freizeit ist für ihn ein Fremdwort geworden.

42 alles versuchen

Sebastian soll für die Wochenendausgabe der Zeitung eine Reportage über die internationale Tagung ‚Bekämpfung der Internetkriminalität' schreiben. Es ist seine erste große Reportage. Sebastian ist aufgeregt. Am Nachmittag hat er einen Termin mit einem Mitarbeiter des ‚Chaos Computer Clubs'. 5
Sebastian geht in die Empfangshalle des Kongressgebäudes und sucht den Stand des ‚Chaos Computer Clubs'. Als er sich umblickt, sieht er wenige Meter vor sich Antje! Wie vom Blitz getroffen[43] bleibt Sebastian stehen. Er reibt sich die Augen[44]. 10
„Träume ich oder bin ich wach?"
Er kneift[45] sich. Sie ist es wirklich! Langsam geht er auf Antje zu.

„Ich habe dich gesucht. Endlich habe ich dich gefunden. Wo warst du?" Sebastian wundert sich selbst, dass er sprechen 15 kann. Er nimmt die Hand von Antje und drückt sie zärtlich.

„Ich bin gestern von einer Auslandsreise zurückgekommen. Warum hast du mich nicht angerufen?", fragt Antje fast ein wenig vorwurfsvoll[46].

„Das ist eine lange Geschichte. Hast du Zeit?" 20

„Gegen 18 Uhr bin ich hier fertig."

„Wo treffen wir uns?"

„Am Imbiss", schlägt Sebastian vor. „Die Damen vom Grill werden staunen[47]. Ach, Antje, du kannst dir gar nicht vorstellen, wie glücklich ich bin, dich wiederzusehen. Lass uns 25 heute Abend reden."

43 unfähig sein zu reagieren
44 nicht glauben können, dass man etwas Bestimmtes sieht
45 mit zwei Fingern die Haut zusammendrücken, so dass es schmerzt
46 kritisch
47 überrascht sein, sich wundern

„Ja. Ich freue mich darauf. Gibst du mir deine Handynummer? Sicher ist sicher."
Wie im Traum schreibt Sebastian seine Reportage.

Kapitel 12 | Entscheidung

Sebastian holt Antje um 19 Uhr ab. Es wird ein langer Abend und eine wunderbare Nacht. Und Sebastian trifft eine Entscheidung fürs Leben.

Es ist ein warmer herbstlicher sonniger Tag.

„Kommst du bitte, Amelie. Das Essen ist fertig. Wir warten auf dich“, ruft die Mutter. Familie Schall sitzt am gedeckten Tisch auf der Terrasse im Garten ihres Einfamilienhauses. 5

„Bin schon da. Was gibt es denn heute Gutes zum Essen?“

„Gefüllte Rinderrouladen mit frischen Kartoffeln und Rotkraut“, antwortet der Vater, der mal wieder ein neues Rezept ausprobiert hat. 10

„Es riecht lecker, ich bin hungrig heute“, sagt Amelie.

Während des Essens dreht sich das Gespräch um die Trennung von Sebastian und Maria. Die Mutter sieht ihren Sohn an.

„Junge, ich verstehe dich immer noch nicht. Maria ist ein so liebes Mädchen. Ihr kennt euch schon so lange. Ihr seid vor kurzer Zeit in eure erste gemeinsame Wohnung gezogen. Und dann aus heiterem Himmel[48] Schluss? Wollt ihr es nicht noch einmal versuchen? Hast du nicht das Gefühl, dass du Maria im Stich[49] gelassen hast? Sie lebt jetzt allein in eurer Wohnung. Musstest du sofort zu deiner neuen Freundin ziehen?"

„Mutter, rede mir bitte kein schlechtes Gewissen ein. Es ist halt passiert. In der letzten Zeit lief es nicht mehr so gut zwischen Maria und mir. Vielleicht waren wir zu früh ein Paar. Schulfreundschaften ..." Sebastian beendet den Satz nicht. „Na, ihr wisst schon, was ich meine."

„Nein, nicht ganz", sagt Amelie.

Sie ist seit zwei Wochen in einen Klassenkameraden verliebt.

„Junge, wir wünschen dir alles Gute. Wenn es Probleme gibt, kannst du jederzeit zu uns kommen", sagt Sebastians Mutter.

„Und sonst natürlich auch", ergänzt der Vater lächelnd.

Nach dem Essen gehen die Eltern spazieren, Sebastian setzt sich auf sein Fahrrad. Amelie geht in ihr Zimmer und telefoniert mit ihrer besten Freundin. Einstein liegt auf seinem gewohnten Platz. Es ist Sonntag.

48 plötzlich und unerwartet
49 jemandem in einer schwierigen Situation nicht helfen

Übungen zu Großstadtliebe

Kapitel 1

Ü 1 Was verbinden Sie mit dem Wort „Eltern"?
Notieren Sie die Wörter, die Ihnen dazu einfallen.
Vergleichen Sie bitte Ihre Gedanken mit denen von anderen in der Gruppe.
Stellen Sie fest, ob bestimmte Gedanken bei allen oder den meisten übereinstimmen.

Kapitel 2

Ü 2 Haben Sie das im Text gelesen?

	Ja	Nein
1. Frau Schall bringt das schmutzige Geschirr in die Küche.	☐	☐
2. Die Mutter findet das Verhalten ihrer Tochter nicht ungewöhnlich.	☐	☐
3. Der Vater bleibt ruhig. Er raucht eine Zigarette.	☐	☐
4. Sebastian will abends nach der Radtour zurückkommen.	☐	☐
5. Amelie telefoniert mit einem Schulkameraden.	☐	☐
6. Die Eltern wollen ins Theater gehen.	☐	☐
7. Amelie kommt mit ihrem Taschengeld nicht zurecht.	☐	☐
8. Amelie will noch zu ihrer Freundin gehen.	☐	☐

Kapitel 3

Ü 3 Welche Zusammenfassung ist die richtige?

A Die Familie sitzt ohne Amelie am Kaffeetisch. Vater und Sohn unterhalten sich über die Chancen von Sebastian, bald einen Job als Journalist zu erhalten. Sebastian ist optimistisch. Der Vater auch. Er hält seinen Sohn für begabt.

B Zum Kaffee gibt es Pflaumenkuchen mit Schlagsahne. Das Gespräch dreht sich um die Aussichten von Sebastian, bald einen Job als Journalist zu erhalten. Vater und Sohn sind sehr zuversichtlich. In den nächsten zwei bis drei Wochen wird Sebastian in einem Imbissstand arbeiten.

C Familie Schall sitzt ohne Amelie am Kaffeetisch. Sebastian informiert seine Eltern über den Stand seiner Bewerbung und darüber, was heutzutage von einem Journalisten erwartet und verlangt wird. Sebastian rechnet damit, in drei bis vier Wochen Bescheid zu erhalten. Bis dahin will er in einem Imbissstand auf dem Winterfeldtplatz als Verkäufer arbeiten. Am späten Nachmittag kommt Sebastians Freundin Maria. Amelie hat schriftlich mitgeteilt, dass sie gegen 22 Uhr nach Hause kommt.

Kapitel 4

Ü 4 Was passst zusammen?

1. die Erde, die Luft, das Wasser und die Pflanzen als Lebensraum für die Menschen und Tiere	a. Armut
2. die Zeit, die noch nicht da ist	b. Umwelt
3. der Zustand, in dem man von etwas nur sehr wenig hat	c. Zukunft
4. alle Menschen, die ungefähr gleich alt sind	d. Jugendlicher
5. Handlung, die nach festen Regeln in einer bestimmten Reihenfolge abläuft	e. Erwartung
6. jemand, der kein Kind mehr ist, aber noch kein Erwachsener ist	f. Paar
7. zwei Menschen, die einander lieben, miteinander verwandt sind oder zusammen arbeiten	g. Ritual
8. das, was jemand von jemandem erhofft	h. Generation

Kapitel 5

Ü 5 Stellen Sie bitte zu dem folgenden Textauszug fünf Fragen.

„Du, Sebastian. Gestern habe ich einen kleinen Schock bekommen."

„Warum das, Maria?"

„Ich traf Claudia aus der Parallelklasse. Du erinnerst dich doch an sie und an ihren Freund. In der Schule waren sie

ein unzertrennliches Paar. Letzte Woche hat sie sich von ihrem Freund getrennt. Und weißt du, was sie gesagt hat?"
„Nein."
„Schulfreundschaften halten nicht lange!"
Maria hat Tränen in den Augen.
„Möchtest du noch ein Glas Wasser?"
Sebastian steht auf und geht in die Küche.
Maria bleibt allein auf der Terrasse.

Denken Sie manchmal an Ihre Freundschaften? Was empfinden/fühlen Sie dabei?

Kapitel 6

Ü 6 Welche Sätze stimmen mit dem Text überein?

	Ja	Nein
1. Maria hat im Haus der Familie Schall übernachtet.	☐	☐
2. Maria und Sebastian trinken gemeinsam Kaffee.	☐	☐
3. Maria ist in sehr guter Stimmung.	☐	☐
4. Maria freut sich über die Reaktion ihres Freundes, was die gemeinsame Wohnung betrifft.	☐	☐
5. Sebastian hat am Nachmittag einen Termin im Gesundheitsamt.	☐	☐
6. Am Abend wollen Maria und Sebastian den Mietvertrag unterschreiben.	☐	☐
7. Sebastian ist nachdenklich geworden.	☐	☐

Kapitel 7

Ü 7 Welche Erinnerungen haben Sie an Ihren ersten/ letzten Schultag?
Ist Ihnen während Ihrer Schulzeit eine Katastrophe passiert?
Müssen Lehrer/Lehrerinnen streng sein?

Kapitel 8

Ü 8 Was passt zusammen?

1. auf die Schulter	a. blicken
2. auf den kommenden Tag	b. lächeln
3. Ratschläge	c. klopfen
4. die richtigen Worte	d. zuhören
5. sportliche Kleidung	e. haben
6. Gespräche	f. finden
7. Zeit	g. geben
8. aufmerksam	h. tragen
9. um sich	i. führen
10. an	j. warten

Kapitel 9

Ü 9 Bringen Sie die Sätze in die richtige Reihenfolge.

a. „Treffen wir uns? Hier können wir schlecht reden."
b. Sebastian bückt sich, um einen Kugelschreiber aufzuheben.
c. Sebastian fühlt sich wie im siebten Himmel.
d. Sebastian strahlt über das ganze Gesicht.
e. Plötzlich steht die schöne Unbekannte vor ihm.

f. Sein Herz klopft wie wild.
g. Tausend Gedanken gehen ihm durch den Kopf.
h. Sebastian hat alles um sich herum vergessen.
i. Sebastian sieht in fröhliche grüne Augen.
j. Er streckt ihr seine rechte Hand entgegen.
k. Sebastian ist verzweifelt.

1	2	3	4	5	6	7	8	9	10	11
b										

Kapitel 10

Ü10 Stimmt das?

	Ja	Nein
1. Sebastian hat sich den Tag freigenommen.	☐	☐
2. Der Vater redet seiner Tochter ins Gewissen.	☐	☐
3. Erst nach einer Weile merkt der Vater, dass mit seiner Tochter etwas nicht in Ordnung ist.	☐	☐
4. Der Vater nimmt die Tochter in die Arme.	☐	☐
5. Amelie berichtet von einem Schlaganfall ihres Mathematiklehrers.	☐	☐
6. Die Eltern kennen Amelies neuen Mathematiklehrer aus der Metzgerei.	☐	☐
7. Amelie interessiert sich plötzlich für Mathematik.	☐	☐
8. Besonders der Vater macht sich Gedanken um seinen Sohn.	☐	☐

Kapitel 11 und 12

Ü 11 Kreuzen Sie an. Was bedeutet …?

1. „Himmel und Hölle in Bewegung setzen“
a. ☐ alles tun, um ein bestimmtes Ziel zu erreichen
b. ☐ alle Leute verrückt machen
c. ☐ sehr laut über Fragen des Glaubens diskutieren

2. „Wie vom Blitz getroffen“
a. ☐ tot umfallen
b. ☐ so erschreckt/entsetzt dastehen, dass man sich nicht mehr bewegen kann
c. ☐ bei der Radarkontrolle geblitzt werden

3. „Aus heiterem Himmel“
a. ☐ bei schönem Wetter
b. ☐ plötzlich und völlig unerwartet
c. ☐ bei blauem Himmel und Sonnenschein

Kapitel 12

Ü 12 Was erfahren Sie über das Elternhaus von Sebastian und Amelie?

Klären Sie vor der Beantwortung der Frage die Begriffe *Elternhaus* und *Erziehung* in einem Wörterbuch.

Welche Wörter fallen Ihnen spontan zu „Wertorientierungen“ ein?

Lösungen

Kapitel 1
Ü 1 individuelle Lösung

Kapitel 2
Ü 2 Ja: 2, 7, 8
Nein: 1, 3, 4, 5, 6

Kapitel 3
Ü 3 B

Kapitel 4
Ü 4 1b; 2c; 3a; 4h; 5g; 6d; 7f; 8e

Kapitel 5
Ü 5 individuelle Antworten

Kapitel 6
Ü 6 Ja: 1, 2, 3, 7
Nein: 4, 5, 6

Kapitel 7
Ü 7 individuelle Antworten

Kapitel 8
Ü 8 1c; 2j; 3g; 4f; 5h; 6i; 7e; 8d; 9a; 10b

Kapitel 9
Ü 9 1b; 2e; 3d; 4j; 5i; 6f; 7h; 8a; 9c; 10g; 11k

Kapitel 10
Ü 10 Ja: 2, 3, 5, 6, 7
Nein: 1, 4, 8

Kapitel 11 und 12
Ü 11 1a; 2b; 3b

Kapitel 12
Ü 12 individuelle Lösungen

MP3:
Großstadtliebe
Eine Großstadtgeschichte

Gelesen von Maria Koschny

Regie:	Susanne Kreutzer
	Kerstin Reisz
Toningenieur:	Christian Marx
Studio:	Clarity Studio Berlin

unter www.cornelsen.de/daf-bibliothek